KB084359

파일럿이 된 집오리

부제 : 최고의 장면을 찾아서

Pilot Duckey

To find the ultimate scene

파일럿이 된 집오리 (Pilot Duckey)

지은이　앨릭스 채 Alex Chae
이메일　pilot.duckey@gmail.com
펴낸곳　뷰티풀 벡터

파일럿이 된 집오리 (Pilot Duckey)

부제: 최고의 장면을 찾아서

앨릭스 채 Alex Chae 지음

차례

첫번째 이야기: 집 오리의 꿈 7

1 다리가 긴 몽상가 오리
2 위대한 알바트로스
3 호박벌의 응원
4 독수리의 도움

두번째 이야기: 집오리의 비행 27

5 세상에서 가장 화려한 곳, 데스카다: 유명인 팔색조
6 세상에서 가장 높은 곳, 샹그릴라: 탐험가 기러기
7 세상에서 가장 아름다운 풍경: 유포리아의 펭귄
8 세상에서 가장 깊은 사랑: 아메라의 파랑새
9 세상에서 가장 아름다운 새: 핑크 마리나의 플라밍고
10 세상에서 가장 위대한 성취: 몽생미셸의 폭군 수리부엉이
11 세상에서 가장 험난한 고난의 시작

세번째 이야기: 최고의 장면 81

12 세상에서 가장 소중한 친구: 호박벌 이야기
13 함께 한 여행의 끝
14 최고의 장면

에필로그 Epilogue 97

1 진정한 사랑 What makes it true love
2 쓰여지지 않은 이야기 The rest is still unwritten
3 나의 가장 아름다운 빈 집 Full of reminiscenes
4 또다른 시작 Ending unplanned

첫번째 이야기: 집 오리의 꿈

#1 다리가 긴 몽상가 오리

어느 작은 농장에 귀여운 새끼 집오리들이 태어났습니다. 온몸이 노란 솜털로 덮인 귀여운 오리들 중에서도 다리가 유난히 긴 새끼 오리 한 마리가 있었습니다. 새끼 오리들은 태어나자마자 엄마 오리 뒤를 졸졸 따라다니면서 헤엄치는 법을 배웠고, 그 중에서도 다리가 긴 새끼 오리는 누구보다도 헤엄을 잘 쳤습니다. 이 다리가 긴 새끼 오리는 자라면서 다른 오리들보다 조금 더 빠르게 눈처럼 새하얀 털을 가지게 되었습니다. 그리고 엄마 오리보다 빠르게 헤엄치며 형제 오리들과 친구 오리들의 부러움을 샀습니다.

엄마 오리는 이 새끼 오리를 유난히 아꼈지만, 한편으론 걱정도 많았습니다. 왜냐하면 이 특별한 새끼 오리는 다른 오리들보다 호기심이 유난히 많은 탓에 자주 호숫가에서 벗어나 숲 속 여기저기를 혼자 돌아다니는 것을 좋아했기 때문입니다. 엄마 오리는 이 새끼 오리가 아빠 오리처럼 금방 화려한 도시로 훌쩍 떠나가버릴까 걱정이 되었습니다. 그래서 이 새끼 오리에게 '더키(Duckey)'라는 이름을 붙여주며 남들처럼 평범한 오리가 되길 바랬습니다. 가난했던 엄마 오리는 더키가 먹이를 가장 잘 잡는 오리가 되어, 가난에서

벗어나 훌륭한 오리로 성장하길 바랬습니다.

하지만 더키는 꿈이 너무 많은 오리였습니다. 더키는 엄마와 호숫가에 머물면서 먹이를 잡고, 형제오리들과 학교에 가서 헤엄을 배우는 일상이 따분하게 느껴졌습니다. 더키는 푸른 하늘을 자유롭게 날아다니는 새들을 보며 늘 생각했습니다. '왜 나는 저 새들처럼 날 수 없을까? 내가 날기 위해 노력하면 저 새들처럼 날 수 있을까? 내가 날 수만 있다면 원하는 어디든 갈 수 있을 텐데.' 더키는 헤엄 연습도 하지 않고 호숫가에 앉아 골똘히 생각에 잠겼습니다.

어느 날 더키는 엄마 오리에게 자신도 하늘을 날고 싶다고 말했습니다. 하지만 엄마 오리는 어두운 표정으로 단호하게 말했습니다.

"너는 집오리여서 날 수 없는 몸을 가졌단다. 헤엄을 쳐야 오래 살수 있어. 다른 날 수 있는 새들과 야생 오리들을 보며 환상을 먹고 자라면 네 마음이 고통스러울거란다. 네가 살 수 있는 삶 속에서 최선을 다하는 게 가장 아름다운 오리의 삶이란다."

옆에서 듣고 있던 형제 오리들은 이 다리가 긴 몽상가 오리를 늘 못마땅하게 여겼기에 옆에서 한마디씩 덧붙였습니다.

"그래 더키야. 꿈도 좋지만 책임과 사랑을 좇는 오리가 되렴. 허황된 꿈으로 네가 받는 기대를 저버린다면 너의 가족들의 마음이 아프단다."

더키는 형제 오리들의 말에 상처를 받았지만 내색하지 않았습니다. 더키는 속으로 생각했습니다. '하지만 나는 이미 너무 많은 꿈을 꿔버렸는걸. 만약 내가 어떻게든 날 수 있다면? 저 하늘 너머의 세상에 도착한다면? 내가 보지 못한 것들을 경험한다면? 무언가 더 훌륭한 일들을 이룰 수 있지 않을까?'

#2 위대한 알바트로스

더키는 호숫가에서 높이 날기 위한 연습을 하기 시작했습니다. 더키는 날개를 아주 강하게 펄럭이며, 호수 건너편을 향해 있는 힘껏 몸을 던져 날아보았습니다. 하지만 호수의 중간도 가지 못해서 추락하기 일쑤였습니다. 시간이 지나도 나아지는 것은 전혀 없었습니다.

마음이 많이 상한 더키는 또 다시 긴 다리로 숲 속을 걷기 시작했습니다. 깊은 숲 속에는 날개가 부러져 더이상 날 수 없는 나이가 많은 알바트로스가 살고 있었는데, 더키는 그를 꼭 만나고 싶었습니다. 많은 새들이 고민에 빠질 때 이 위대한 알바트로스를 찾아가서 지혜를 얻곤 했기 때문입니다.

더키는 높이 날 수 없기에 한참을 걸어서야 겨우 알바트로스가 살고 있는 어두운 동굴에 도착할 수 있었습니다. 처음 그를 봤을 때 더키는 너무 놀라고 말았습니다. 더키처럼 온몸의 털이 새하얗고 부리가 샛노랬지만, 새까만 그의 날개는 더키 날개의 열 배도 넘게 컸습니다. 더키가 오들오들 떨면서 들어오자 알바트로스는 맑고 큰 눈으로 인자하게 웃으며 말했습니다.

"너는 집오리구나. 집오리가 여긴 어쩐 일로 찾아왔니?"

"안녕하세요, 알바트로스씨. 제 이름은 더키에요. 당신이 세상에서 가장 빨리, 가장 멀리, 그리고 가장 높이 나는 위대한 새라고 들었어요. 저는 당신에게 얻고 싶은 지혜가 있어서 찾아왔어요."

"내가 가장 빨리, 가장 멀리, 가장 높이 날 수 있었던 이유는 상승하는 바람을 타고 날기 때문이지, 내가 훌륭해서 그런건 아니란다. 내가 바다에서 몇년씩 날아도 지치지 않을 수 있었던 이유는 좋은 조건과 환경을 선택해서 날아왔기 때문이야. 내가 위대해서 그런 것은 아니란다."

"그럼 저도 상승하는 바람을 타면 날 수 있을까요?"

"그건 나의 방식이기 때문에 너에게는 맞지 않을 거야. 너도 많은 우연과 시도속에서 너만의 방식을 발견해야겠지. 그런데 집오리야, 너는 왜 하늘을 날고 싶은 거니?"

"모르겠어요. 저는 항상 하늘의 새들을 보면 날고 싶었어요. 날개 짓을 마음껏 뽐내며 호숫가 위로 끝없이 날아오르는 야생 오리들처럼요. 하늘을 날면 제가 보지 못한 것들을 볼 수 있게 되고, 제가 세상에서 이룰 수 있는 멋진 무언가를 발견해낼 수 있지 않을까요? 단순히 하늘을 비행하는 것 이상으로요."

"너는 특별한 영혼을 가진 새 같구나. 새로운 경험을 하고자 하는 용기는 특별한거란다. 가장 많은 경험을 한 새가 가장 멋진 세상을 볼 수 있고, 가장 멋진 꿈을 꿀 수 있지."

알바트로스는 따뜻한 미소를 보이며 말했습니다.

"하지만 저는 늘 마음이 아파요. 엄마와 선생님 오리는 늘 저를 걱정해요. 아빠 오리가 저를 떠났기 때문에 제 마음이 공허해서 그런거라구요. 저의 형제 오리들과 친구들은 늘 제가 절대 날 수 없을 거라고 말해요."

"결핍이 있다는 건 특별한거란다. 모든 동기는 결핍에서 비롯되지. 영원한 결핍을 가진 새만이 영원한 꿈을 꿀 수 있단다. 형제와 친구 오리들은 결핍을 메우고자 하는 너의 용기를 질투하는 거야. 네가 그 어떤 멋진 일을 해도 상관없다면, 그들은 너에게 아무 말도 하지 않았을 거야. 그래도 네 마음이 계속 힘들다면, 네 마음 어딘가에 빈 집을 지어두렴."

"마음 속의 빈 집이요?"

"그래. 네가 살지 않는 마음 속의 빈 집. 그 안에 네가 받은 상처를 너의 추억들과 함께 채워놓으렴. 언젠가 성장한 네가 그 빈 집을 다시 들여다본다면, 모든 게 쉽고 유쾌하게 용서 될 거야. 보물처럼 아름다운 기억들과 함께 말이지."

알바트로스와의 대화는 더키에게 큰 위로가 되었습니다. 자신의 말을 끈기 있게 들어주며 할 수 있다고 말해주는 어른 새는 처음이었기 때문입니다.

"알바트로스씨, 당신은 세상 모든 곳을 날아다녔기 때문에 제가 원하는 게 무엇인지 이미 알고있지 않나요?"

"난 더이상 날 수 없지만, 예전에는 나도 너처럼 무언가 위대한 한가지를 간절히 이루고 싶었을 때가 있었지. 나는 세상의 그 어떤 새들보다 더 빠르게, 더 멀리, 더 높이 날고 싶은 꿈이 있었어. 그 꿈을 이루면 가장 위대한 새로서 살아가게 될 거라고 믿었지. 하지만 지금의 나를 살아가게 하는 건 내가 이룬 꿈이 아니란다."

알바트로스는 궁금함에 눈이 초롱초롱해진 더키를 보며 행복한 표정을 지으며 말했습니다.

"지금의 나를 살아가게 하는 건 수많은 새들의 존경, 그리고 '최고의 장면' 이란다."

"'최고의 장면'이 무엇인가요? 그건 꿈과 사랑 같은 건가요? 저는 사랑이 뭔지 모르지만 꿈이 뭔진 알아요. 제 지금 당장의 꿈은 하늘을 날아 세상의 모든 곳을 가보는 거에요."

"음... '최고의 장면'이 무엇인지 말해줄 수는 있지만, 그럼 네가 빨리 흥미를 잃고 실망할 거야. 그리고 새들마다 '최고의 장면'은 모두 다르단다. 너도 날게 된다면, 너의 '최고의 장면'을 보게 될 거야. 그건 꿈이나 사랑과 같이 하나로 규정되는 가치는 아니란다. 꿈과 사랑을 넘어서는 강렬한, 더 큰 무엇이지."

더키의 가슴은 어떤 때보다 쿵쾅대며 뛰기 시작했습니다.

"저도 하늘을 날아서 당신처럼 '최고의 장면'을 하루 빨리 보고 싶어요. 그럼 제 마음의 결핍은 영원히 충족될 수 있을 것만 같아요."

"'최고의 장면'은 모두가 다 볼 수 있는 건 아니야. 모든 위험을 무릅쓰고 모험을 결심한 새들에게, 세상이 보여주는 큰 호의란다. 네가 정말로 원한다면 세상에서 가장 성공한 새인 독수리를 찾아가보렴. 그는 늘 모든 문제에 대한 해결 방안을 갖고 있지. 아주 똑똑한 새이기 때문에 네가 날 수 있는 방법을 알려 줄 거야."

#3 호박벌의 응원

더키는 알바트로스의 동굴을 나와 어느때보다 힘찬 걸음으로 걸었습니다. '알바트로스가 말하는 꿈과 사랑을 넘어서는 '최고의 장면'은 무엇일까?' 더키는 호숫가의 집으로 돌아가는 길 내내 골똘히 생각하느라, 그만 길을 잘못 들어 한없이 샛노란 유채꽃이 피어 있는 꽃밭에 도착했습니다. 유채 꽃잎만큼 샛노란 줄무늬를 가지고 있는 호박벌이 꿀을 맛있게 먹고 있었습니다. 입에는 꿀을 한가득 묻힌 채, 작은 날개를 끝없이 팔랑대며 꿀을 먹는 호박벌의 모습은 너무나도 행복해 보였습니다.

"우와! 넌 정말 꿀을 좋아하는구나? 지켜보는 나까지 행복해지는걸?"

"당신은 집오리군요? 저는 호박벌이에요. 당신은 이곳까지 어쩐 일로 오게된건가요? 집오리들은 유채 꽃밭에 잘 오지 않거든요."

"나는 날고자 하는 꿈을 이룰 방법을 찾기 위해 알바트로스를 찾아왔다가 길을 잠시 잃었단다. 나는 알바트로스가 말해준 '최고의 장면'을 찾아 여행을 떠나려고 해."

"날고 싶은 집오리라니! 너무 멋진 걸요? 저는 사실 스스

로 날고자 했기 때문에 날 수 있는 호박벌 이에요. 우리 엄마는 내가 어렸을 때 날 수 없다고 생각했어요. 날개가 너무 작았거든요. 하지만 그 누구보다 빠른 날개짓을 해서 날 수 있게 되었어요. 비록 다른 동료 호박벌들처럼 잘 날지는 못하지 만요."

"날고자 하기 때문에 날 수 있다니. 너는 정말 멋진 호박벌이구나. 너는 꿈이 있니?"

"다른 호박벌들은 평생동안 쉬지 않고 높고 화려한 곳에 집을 지으면서 명예롭게 산답니다. 하지만 어차피 저는 잘 날 수 없기에, 조금은 다른 특별한 꿈을 가지고 있어요. 저는 세상의 이런저런 다양한 꿀을 먹어보고 싶어요. 이 유채 꽃밭도 5월의 꿀은 정말 맛있긴 하지만, 저는 세상에 더 맛있고 다양하고 신선한 꿀이 존재한다는 얘기를 나비에게 들어 본적이 있어요. 꿀은 제 영원한 행복이거든요. "

"너는 영원하다는 말을 믿니?"

"그럼요. 제게 이 유채 꽃밭의 5월의 꿀은 영원히 맛있을 거에요. 비 온 뒤의 형형색색의 무지개는 영원히 아름다울 거구요."

더키는 호박벌의 말들이 재밌게 들렸습니다.

"호박벌아, 만약 내가 날 수 있게 되어 너와 함께 '최고의 장면'을 찾아 여행을 다닌다면 재밌을 거야."

"그럼요! 당신은 반드시 날 수 있어요. 난 당신이 특별하다는 걸 느낄 수 있어요. 내가 당신을 도와 줄게요. 당신이 높이 날게 된다면 난 당신과 세상의 모든 멋진 경험을 하고 싶어요. 세상의 모든 신선한 꿀을 먹으면서요."

더키에게는 힘이 되는 동반자가 생겼습니다. 더키는 호박벌과 함께 호숫가로 내려와 엄마 오리를 찾아갔습니다.

"엄마, 저는 '최고의 장면'을 찾기 위해 떠날거에요. 꿈과 사랑을 넘어서는 무언가를 꼭 찾아서 돌아올게요!"

#4 세상에서 가장 성공한 새: 투자자 독수리

호박벌과 더키는 함께 알바트로스가 소개해준 독수리를 찾아가기로 했습니다. 독수리는 뉴카다(Newkada)라는 화려한 도시의 가장 높은 곳에 집을 짓고 살고 있었습니다. 호박벌과 더키는 잘 날 수 없었기에 며칠을 걸어야 했습니다.

고생 끝에 더키는 드디어 독수리를 만날 수 있었습니다. 독수리는 알바트로스처럼 크지 않았지만, 아주 매서운 눈과 뾰족한 부리를 가지고 있었습니다. 독수리의 깃털들은 갈색으로 윤이 나게 빛났습니다. 아주 비싸고 멋진 머플러를 한 독수리는 자신감에 가득 차 보였습니다.

"안녕하세요 독수리씨? 저는 더키라고 해요."

"오호! 너는 집오리가 아니니? 나는 세상에서 가장 성공한 새인 독수리란다. 집오리가 여긴 어쩐 일이니?"

"저는 알바트로스로부터 당신에 대해 듣고 찾아왔어요."

"알바트로스가 소개해주었다니. 그래, 너는 명문 집오리 학교를 졸업했겠구나? 너의 아버지는 무얼 하시니? 너는 너의 마을에서 유명한 오리니?"

더키는 우물쭈물하며 대답할 타이밍을 놓쳤습니다. 독수리는 더키의 보잘것없는 행색을 한참동안 매서운 눈으로 쳐

다보았습니다.

"음... 너는 아직 청년 오리이니 대답하지 않아도 괜찮다. 물론 나는 네 나이 때 훨씬 훌륭했지만. 에헴. 내 인생에는 실패가 없었지."

"너무 멋진 걸요! 저는 날고 싶지만 비행에 항상 실패만 했거든요. 저는 아직 날고 싶은 제 꿈을 이루지 못했어요. 그렇지만 저는 제 이야기를 사랑해요."

"너 혼자 네 이야기를 사랑하는 건 의미가 없어. 모두가 좋아하고 부러워해야 의미가 있지. 모든 새들이 내 성공을 부러워하는 것처럼 말이야. 에헴. 무언가 훌륭한 것을 이루고 싶다면 나처럼 늘 좋은 선택을 하고, 좋은 인맥이 있어야 한단다."

독수리는 한참동안 자랑을 늘어놓았습니다. 가장 좋은 독수리 비행 학교를 1등으로 졸업한 독수리는 세상을 냉철하게 보는 눈으로 투자를 하는 투자자 독수리가 되어 큰 돈을 벌고 있었습니다. 독수리는 한참을 자신에 대해 말하다가 더키를 유심히 바라보았습니다.

"음... 너는 용감하고 똑똑해 보이는구나. 그래서 알바트로스가 추천해준걸테지? 하지만 너는 날고 싶다고 했지만 집오리는 날 수가 없어."

더키와 호박벌의 표정은 어두워졌습니다.

"하지만 제가 날 수 있어야만 '최고의 장면'을 찾을 수 있는 걸요. 알바트로스가 가르쳐줬어요. 꿈과 사랑을 넘어서는 무언가라구요. 제 꿈은 하늘을 날아다니며 '최고의 장면'을 찾는거에요."

"하지만 비행을 할 수 있는 방법은 많지. 그래, 세상을 날아다닐 수 있는 방법은 많아. 네가 진부한 사고의 방식만 깬다면 말이야. 태생적으로 선택 받지 못했다고 해서 날 수 없는 건 불공평한 일이지. 어디 보자..."

독수리는 큰 서류 더미를 한참동안 뒤적였습니다.

"그래! 이게 좋겠군. 너는 용감하고 똑똑해 보이니까 네게 이 경비행기를 사 줄게."

"경비행기요?"

"그래, 이 경비행기를 잘 조종하면 넌 어디든 날아갈 수 있지. 이건 매우 비싼 물건이야."

"하지만 저는 충분한 돈이 없는 걸요."

"그럼 너의 이야기를 나에게 팔렴. 네 이야기가 돈이 된다면 더 좋은 경비행기를 사줄 수도 있어. 너의 이야기로 책을 낼 수도 있단다."

"그거 정말 멋진 걸요. 그럼 당신이 얻는 건 뭐죠?"

"너의 이야기를 팔아서 얻은 수익이 곧 나의 돈이 되지."

"당신은 그 돈으로 뭘 하나요?"

"또다른 새들에게 투자를 하지."

"그럼 당신은 새들의 꿈을 이뤄주는 댓가로 돈을 받는군요. 다른 새들의 꿈을 이루도록 도와주는 것이 당신의 꿈인가요?"

"그렇다고 해두지. 뭐 돈이 있으면 기본적으로 뭐든 할 수 있으니 말이야."

더키와 호박벌은 희망과 기쁨에 차올랐습니다.

"네가 말하는 '최고의 장면'을 찾는 쉬운 길을 가르쳐주마. 목적을 이루기 위해 효율적인 방법을 찾아야 한다는 걸 항상 잊지말렴. 너에게 내가 아는 팔색조를 소개시켜 주지. 그는 100개국을 여행한 경험이 있어서 분명히 네가 말하는 '최고의 장면'을 봤을 거야. 팔색조는 지금 데스카다(Descada)에 있으니 비행을 해서 가보렴."

두번째 이야기: 집 오리의 비행

#5 세상에서 가장 화려한 곳, 데스카다 : 유명인 팔색조

더키는 처음으로 독수리가 준 경비행기에 올라탔습니다. 더키의 어깨에 올라탄 호박벌도 덩달아 설렜습니다. 처음에는 경비행기 조종에 서툴렀지만, 더키는 이내 시원한 바람을 가르며 창공에 오르기 시작했습니다. 알바트로스의 말처럼 상승기류를 타고 오르니 훨씬 쉬운 비행을 할 수 있었습니다.

"이렇게 높고 맑은 공기는 처음이야!"

"저도요!"

구름은 아이스크림처럼 차갑고, 바람은 세상의 모든 녹음을 머금은 듯 청량했습니다. 질서 정연하게 날아가는 철새들은 더키에게 눈짓으로 인사를 했습니다. 철새들의 비행을 방해하면 안되기에 더키는 좀더 높이 날아 보기로 했습니다. 더 높은 하늘로 올라가는 더키의 눈에 세상은 너무 작게 보였습니다. 작은 꿈을 벌써 이루게 된 더키는 이제 뭐든지 할 수 있을 것 같았습니다.

"하늘을 난다는 건 이런 기분이구나. 상상했던 것보다 더 달콤한 걸!"

더키는 서툴렀지만 꽤나 멋진 파일럿이었습니다. 더키와 호박벌은 밤하늘을 가로지르며 잠도 자지 않고 며칠을 데스카다를 향해 비행했습니다. 호박벌은 더키의 어깨에 앉아 밤새 이런저런 수다를 떨었습니다. 주로 우연히 더키를 만난 자기가 얼마나 운이 좋은 호박벌인지, 또 자기가 지금 얼마나 행복한 호박벌인지에 대한 이야기였습니다.

꽤 오랜 비행 끝에, 저 멀리 금빛으로 반짝이는 작은 도시가 보였습니다. 황금빛 태양이 내리쬐는 데스카다는 첫눈에 봐도 너무나도 화려한 섬 도시였습니다. 더키의 경비행기가 섬으로 다가갈수록 사방이 황금빛으로 빛나는 걸 볼 수 있었고, 바다에는 수많은 요트가 떠다녔습니다. 새들의 옷차림도 매우 화려했습니다. 번쩍거리는 악세서리들과 색색의 옷으로 치장한 새들이 궁궐 같은 호텔에 머무르고 있었습니다.

그 중에서도 일곱가지 색의 깃털을 가진 새로 유명한 팔색조는 찾기 아주 쉬웠습니다. 모든 새들이 팔색조를 알고 있었기 때문입니다. 팔색조는 멋진 테라스가 있는 레스토랑에 앉아서 점심 식사를 하는 중이었습니다. 팔색조는 멀리서 봐도 빼어나게 매력적이었습니다. 크림색의 눈썹과 검은색 뺨, 선명한 푸른색 띠를 두른듯한 허리, 그리고 매혹적인

꼬리. 더키는 속으로 팔색조의 수려한 외모에 감탄했습니다.

"안녕하세요 팔색조씨? 저는 집오리 더키라고 해요. 독수리씨가 당신을 소개해주어서 찾아왔답니다"

"오, 독수리가 소개해주었다고? 집오리가 어떻게 여기까지 오게 되었니?"

"저는 팔색조씨께 물어볼 것이 있어 며칠 동안 경비행기를 타고 이곳으로 날아왔어요. 먼저 음식을 시켜도 될까요? 밤새 날아와서 배가 너무 고프거든요."

"그럼! 마음껏 시키렴. 내가 대접하도록 하지."

팔색조는 매력적이고 여유 있는 미소로 더키에게 대답했습니다. 더키는 팔색조의 친절함에 속으로 또 한번 감탄했습니다.

"이 레스토랑에서 가장 맛있는 꿀을 접시 한가득 주세요. 빵도 함께요."

"그나저나 이 작은 친구는 누구니?"

"제 친구 호박벌이에요. 날고자 하기 때문에 날 수 있는 멋진 친구죠."

이윽고 매력적인 벌새 웨이터가 보석으로 만든 꿀단지에 꿀을 한가득 내어왔습니다. 색깔이 황금빛으로 빛나는 사치

스러운 꿀이었습니다.

"이렇게 맛있는 꿀을 매일 먹을 수 있다면, 이 여행은 영원히 행복할 거야. 헤헤헤."

호박벌은 입에 꿀을 한가득 묻힌 채 꿀을 마시기 시작했습니다.

"독수리가 소개해줬다면 너는 무척 영특한 새이겠구나. 그는 아무에게나 나를 소개시켜 주지 않거든. 그는 가능성이 있는 새들에게만 투자하는 아주 똑똑한 새란다. "

"저는 사실 꿈과 사랑을 넘어서는 '최고의 장면'을 찾아 고향을 떠나 경비행기로 여행을 하는 중이에요. 독수리는 당신이 100개국을 여행했다고 알려주었어요. 100개국을 여행한 당신이라면 세상에서 가장 멋진 '최고의 장면'을 봤을 거라고 생각했어요."

"음... 맞아. 너는 제대로 찾아온 것 같구나. 나는 매력이 뛰어나기 때문에 세계 각국에서 나를 초대해주곤 한단다. 나를 보고 내 노래를 듣는 것만으로 많은 새들이 행복해하거든. 세상에 내가 여행해보지 않은 곳은 없어. 지금 나는 세계의 곳곳에서 휴양하는 최고의 삶을 살고 있단다. 나는 네가 말하는 '최고의 장면'을 알려줄 수 있단다."

"정말요?"

"그럼. 바로 이 데스카다의 모습이란다! 얼마나 멋지니?"

더키는 테라스에서 보이는 화려한 데스카다의 모습을 천천히 바라봤습니다. 백금으로 치장한 요트를 타는 우아한 공작들, 황금색 호텔에 머무는 쌍쌍의 원앙들, 예쁘게 깃털을 치장한 색색의 벌새들, 바다를 수놓는 보석들... 정말 화려한 모습이었습니다. 해가 지고 있음에도 도시는 여전히 황금색으로 빛났고, 아름다운 새들의 허밍소리가 가득했습니다.

"나는 100개의 도시를 여행하며 수많은 새를 만났지만, 모두가 이 데스카다를 가장 극찬했단다. 나는 이곳보다 아름다운 도시를 가본적이 없어. 물론 이곳에 살려면 돈이 아주 많아야 하지만. 나는 이미 많은 돈을 벌었으니, 이 부자들의 도시에 평생 머물기로 했지. 이곳엔 나처럼 화려한 삶을 사는 새들이 아주 많단다."

"음... 하지만 '최고의 장면'은 이렇게 쉽게 찾을 수 있는 건 아닌 것 같아요. 당신의 '최고의 장면'은 아마 나와는 다른 것 인가 봐요. 알바트로스가 말했거든요, 새마다 '최고의 장면'은 다를 거라고요."

"그렇다면 세상에서 가장 높은 곳에 가보는 게 어떠니? 지상 낙원이라고도 불리우는 그곳은 가장 높은 곳이라 세상의 무엇이든 볼 수 있어. 그곳의 이름은 '샹그릴라'란다. 그곳에 오르면 너는 세상의 무엇이든 볼 수 있을 거야. 그렇다면 네가 가야 할 곳도 찾을 수 있겠지?"

To. 존경하는 독수리씨

독수리씨, 저는 데스카다에 도착했어요. 이곳은 모든 게 눈부셔서 머리가 아플 지경이에요. 가난한 제가 평생 본적 없던 아름다움이었어요. 당신이 소개해준 팔색조 님은 매우 친절했답니다. 하지만 아쉽게도 아직 '최고의 장면'을 발견하지 못했어요.

하지만 저는 앞으로의 여행이 너무 기대돼요. 제 친구 호박벌은 너무 설레어 제가 야간 비행을 할 때도 잠을 전혀 자지 않을 정도랍니다. 앞으로도 황금처럼 단단한 마음으로 지치지 않고 '최고의 장면'을 찾아 비행 해야겠다고 생각했어요. 저는 다음 여행지로 팔색조 님이 소개해준 '샹그릴라'를 가보려고 해요.

From. 더키 드림

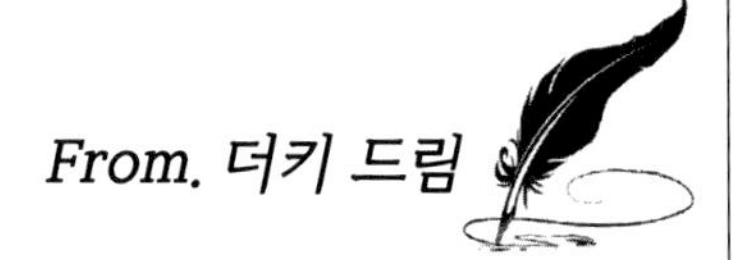

#6 세상에서 가장 높은 곳, 샹그릴라 : 탐험가 기러기

더키는 이번에는 꽤나 어려운 비행을 해야 했습니다. 아주 높은 곳에 다다르기 위해서 수직으로 비행해야 했기 때문입니다. 고도가 높아질수록 아름다운 절경이 펼쳐졌습니다. 호박벌은 설레는 마음에 한시도 쉬지 않고 재잘댔습니다.

"세상에... 지상 낙원이라는 별명이 사실이군요. 나는 세상에서 가장 높은 곳에 오른 유일한 호박벌일거에요. 나는 앞으로 영원히 기억될 호박벌이에요."

더키는 호박벌과 함께 가장 높은 고원지대에 올라 세상을 내려다봤습니다. 설산의 절벽과 구름이 이루는 절경이었습니다. 설산 아래에는 에메랄드 빛 호수가 흐르고 커다란 바위들 사이를 새들이 평온하게 비행하고 있었습니다. 세상의 아무런 갈등을 모르는 듯, 이 세상의 모든 것을 다 이룬 것처럼 평화롭게 날아다니는 기러기들의 모습은 위엄이 있었습니다.

호박벌은 곳곳에 핀 야생화들에게 홀딱 반해 이리저리 날아다녔습니다. 더키와 호박벌은 샹그릴라에서도 가장 높

은, 야생화들이 만발한 아름다운 식당에 자리잡았습니다.

"이곳에서 가장 맛있는 꿀을 접시 한가득 주세요. 빵도 함께요."

곧 예쁘게 단장한 까치가 야생화 잎으로 만든 꿀단지에 꿀을 한가득 내어왔습니다. 색깔이 녹음으로 빛나는 싱그러운 꿀이었습니다.

"이렇게 싱그러운 꿀을 먹을 수 있다니. 이 여행은 정말 최고의 여행이야. 헤헤헤."

"호박벌아, 이제 우리가 가야 할 곳을 잘 찾아봐야해. 이곳은 팔색조가 가르쳐준대로 세상에서 가장 높은 곳이니, 분명 '최고의 장면'이 있는 곳을 볼 수 있을 거야."

마침 더키의 주위를 비행하던 탐험가 기러기가 이 얘기를 들었습니다.

"너는 집오리 아니니? 이곳에 올라온 집오리는 네가 처음인 것 같다. 굉장한 걸? 나는 네가 말하는 '최고의 장면'을 알아. 그건 아주 희소해서 쉽게 보기는 힘들지."

"정말요? 제게 그것을 가르쳐줄 수 있나요?"

탐험가 기러기는 길고 검은 목을 쭉 내밀며 회색 날개를 넓게 펼쳐 보였습니다. 그러자 대형을 맞춰 날던 다른 기러기들이 비행을 멈추고 고원지대에서 휴식을 취하러 내려오기 시작했습니다. 기러기는 더키의 옆에 자리잡았습니다. 탐험가 기러기는 더키가 호수에서 늘 보던 날지 못하는 거위와 생김새가 비슷했지만, 그의 회색 깃털은 훨씬 늠름하고 강해 보였습니다.

"네가 말한 팔색조는 아주 똑똑한 새이구나. 높은 곳에 올라서면 가야 할 곳을 발견할 수 있지. 발견하는 것이야말로 가장 멋지게 너의 시야를 확대해 나갈 수 있는 방법이야."

"저는 '최고의 장면'을 발견하기 위해 경비행기를 타고 여행을 하는 중이랍니다. 제 친구 호박벌과 함께요."

"너처럼 내 동료 기러기들도 용감했으면 좋겠구나. "

탐험가 기러기는 깊은 한숨을 쉬었습니다.

"나는 요새 걱정이 많단다. 날씨가 더워지면서 나와 기러기 동료들은 자꾸 방향을 헷갈리고, 우리가 어디에 머물러야 하는지 점점 혼란스럽단다. 세상은 이상해지고 있어."

"기러기씨는 제 고향의 거위와 매우 닮았어요. 하지만 당신의 털은 거친 회색이군요!"

"우리도 이제 거위처럼 곧 날지 못하게 될 거야. 따뜻한 날씨에서만 살 수 있게 되면 이동하지 않아도 되거든. 이제 기러기들은 색색의 화려한 기러기가 되고 싶어하지. 내 기러기 동료들은 탐험하길 점점 싫어하고, 뽐내길 좋아하게 되었단다. 공작새나 벌새처럼 말이지. 기러기들은 깃털을 꾸미는데 온 시간을 쏟지만, 그건 멀리 날기 위해 방해가 될 뿐이야."

자세히 보니 탐험가 기러기의 동료들은 고원지대의 색색의 야생화들의 꽃물로 깃털을 물들이는데 정신이 없었습니다. 어떤 기러기들은 가장 새하얀 깃털을 갖기 위해 에메랄드 빛 호숫가에서 몸을 끊임없이 씻어내고 있었습니다. 긴 비행을 위한 먹이도 잡지 않은 채 말입니다.

"이제 우리의 탐험가적인 본성은 없어지겠지. 대형을 맞추어 먼 비행을 하는 일마저 시시한 일이라고 치부하고 이탈해버리는 기러기들이 많단다. 그들은 우리의 모험 이야기가 시시하다고 생각하고, 더이상 새로운 걸 발견하지 않아. 이제 아무도 마음속의 해와 달을 가꾸지 않는단다."

"기러기씨, 마음속의 해와 달이 무엇인가요?"

"나는 탐험을 하면서 수십개의 다른 모습의 해와 달을 보았단다. 해와 달은 내가 어딜 비행하느냐에 따라 늘 다른 모습이지. 때로는 시야에서 사라져버리기도 해. 눈에 보이는 해와 달의 모습만 좇아서 여행을 하다 보면 우리는 방향을 잃고 길을 잃게 되지. 그래서 기러기들은 항상 마음속에 해와 달을 가꿔야 한단다."

"기러기들은 무엇을 위해 그렇게 열심히 탐험을 하나요?"

"어딘가에 숨겨진 기러기들의 낙원을 찾기 위해서란다. 모험을 통해 더 성숙하고 더 넓어진 시야를 가진 기러기들만이 찾을 수 있지. 기러기들의 낙원은 마음속의 해와 달이 안내해주는, 지도에 보이지 않는 숨겨진 곳이란다. 눈에 보이지 않는 걸 좇는다는 건 아무나 할 수 있는 게 아니지. 위대한 기러기들 만이 할 수 있어. 하지만 너는 출신은 다르지만 우리처럼 꽤 멋있는 집오리이니, 네게 내가 본 '최고의 장면'을 알려주마. 저기 보이는 형형색색의 작은 빛이 보이니?"

기러기가 가리킨 곳을 자세히 보자 아주 작게 형형색색으로 보석같이 빛나는 곳이 보였습니다.

"내가 가본 곳 중, 가장 아름답고 진실된 장면을 볼 수 있는 곳이란다. 오로라야 말로 네가 말하는 '최고의 장면'이라고 할 수 있지. 가장 높은 곳만 탐험한 내 말을 믿어보렴. 극채색의 오로라를 본 새들만이 극채색의 꿈을 꿀 수 있지. 오로라를 볼 수 있는 그곳의 이름은 '유포리아'란다."

#7 세상에서 가장 아름다운 풍경: 유포리아의 펭귄

더키는 탐험가 기러기가 가르쳐준 곳으로 비행하기로 했습니다. 그곳은 아주 추운 곳이었기에, 추위를 많이 타는 호박벌과 더키는 많은 채비를 해야 했습니다. 더키는 독수리가 보내준 돈으로, 호박벌에게 예쁜 머플러와 눈을 피할 우산을 사주었습니다. 유포리아로 가는 길에는 눈이 많이 오고 바람이 세차게 불었지만, 호박벌과 더키는 꿋꿋이 버텨내어 드디어 설국의 유포리아에 도착했습니다. 그곳은 낮인데도 불구하고 사방이 어두컴컴했습니다.

"기러기씨가 말한 형형색색의 오로라는 언제쯤 뜨는 걸까?"

더키의 옆을 지나가던 펭귄은 더키를 신기하게 바라봤습니다. 날 수 없는 펭귄은 뒤뚱뒤뚱 더키에게로 걸어왔습니다. 펭귄의 새하얀 털은 너무 두꺼워서 펭귄은 추위를 전혀 타지 않는 듯 보였습니다. 검은색 날개와 모자처럼 생긴 검은색 털을 잘 단장한 펭귄은 현명하고 지혜로워 보였습니다.

"너는 집오리 아니니? 여긴 너무 추워서 오리가 살 수 없는데, 어떻게 찾아온 거니? 야생 오리들이 길을 잃어 여길 오는 걸 종종 보긴 했다만."

"안녕하세요 펭귄 씨! 저희는 '최고의 장면'을 찾아 경비행기를 타고 여행하고 있답니다. 기러기씨의 소개를 받아 형형색색의 오로라를 보기위해 왔어요."

"집오리야, 오로라는 아주 잠깐밖에 뜨지 않는단다. 밤이 되길 기다려야 할 거야."

"하지만 지금도 매우 어두컴컴한 걸요?"

"지금은 극야이기 때문이야. 이곳은 이렇게 몇개월 동안이나 해가 보이지 않는 어두컴컴한 세상과, 하루 종일 해가 뜨는 백야가 반복되는 곳이란다. 네가 오로라를 보길 원한다면, 나와 함께 맛있는 음식을 먹으며 대화하면서 기다리지 않을래? 나도 마침 심심한 참이었거든."

더키와 호박벌은 뒤뚱뒤뚱 걷는 펭귄을 따라 예쁜 빙하로 둘러싸인 이글루 레스토랑에 도착했습니다.

"이 레스토랑에서 가장 맛있는 꿀을 접시 한가득 주세요. 빵도 함께요."

"그나저나 이 작은 친구는 누구니?"

"제 영원한 친구 호박벌이에요. 날고자 하기 때문에 날 수 있는 멋진 친구죠."

잠시 후, 멋진 아델리 펭귄 웨이터는 신사처럼 멋진 차림으로, 얼음으로 만든 꿀단지에 꿀을 한가득 내어왔습니다. 연하늘색으로 빛나는 독특한 꿀이었습니다.

"이렇게 신선한 꿀을 매일 먹을 수 있다니. 나는 정말 영원히 행복한 호박벌이야. 헤헤헤."

호박벌은 입에 꿀을 한가득 묻힌 채 꿀을 마시기 시작했습니다.

"펭귄씨는 오로라를 본적이 있나요?"

"그럼! 오로라는 짧은 시간이지만 이곳에서 자주 볼 수 있는 아름다운 풍경이란다. 마치 태양에 가장 가깝게 날아간 전설속의 새의 영혼을 닮은 듯한 모습이란다. 많은 종류의 새들이 일생에 한 번 오로라를 보기 위해 이곳을 방문하지. 하지만 집오리는 네가 처음 인걸!"

"저는 알바트로스가 알려준 '최고의 장면'을 발견하고 싶거든요."

"'최고의 장면'이라... 분명 많은 새들이 이곳에 와서 감동을 받고 갔으니 너 또한 다르지 않을 거야. 극도로 아름다운 것들을 보면, 새들은 모든 상처들이 치유되어 또다른 자신이 되는 듯한 느낌을 받는다고 한단다. 아름다운 것을 보면 자신도 아름다운 새가 된 듯한 느낌이 들거든. 비록 그

기분이 영원히 지속되지는 않지만... 오로라는 아주 잠시의 환상일 뿐이야. 그렇기에 새들은 또다른 아름다운 장면을 계속해서 찾아 헤매게 된단다. "

더키는 펭귄의 말이 어렵고 알쏭달쏭했습니다. 무슨 뜻인지 되물어보려는 순간 갑자기 하늘이 형형색색으로 바뀌기 시작했습니다. 낮은 곳에서 피어오르던 오로라는 하늘 전체로 퍼져 나가 연두색, 빨간색, 노란색, 보라색으로 넘실대며 빛의 향연을 만들어냈습니다. 시시각각으로 하늘의 색이 바뀌며, 끝내는 에메랄드색이 온 밤하늘을 물들였습니다. 세상은 그림자밖에 남지 않았고, 무수한 별들이 살아남아 하늘을 무대로 한편의 거대하고 화려한 빛의 연극을 펼치는 것 같은 느낌이었습니다.

호박벌과 오리는 한참동안 말을 잃었습니다. 무어라 표현할 수 없는 감동이 밀려왔지만, 달리 표현할 방법이 없었기 때문입니다. 호박벌은 꿀도 잊은 채 더키의 어깨에 꼭 기대어 이 화려한 치유의 연극이 끝날 때까지 한마디도 하지 않았습니다.

"집오리야, 이 장면이 네가 찾던 장면인 것 같은데 맞니?"

펭귄의 말이 끝나기가 무섭게 오로라는 금세 사라지기 시작했고, 온통 새하얀 눈으로 덮인 설국의 유포리아는 오래지 않아 다시 어둠속으로 가라앉고 있었습니다.

"아주 굉장한 장면은 맞는 것 같아요. 하지만 환상처럼 너무 짧은 것 같아요. 이 장면은 제 마음속에 영원히 자리잡을 수 있을까요?"

그제야 더키는 펭귄이 오로라가 뜨기 전 했던 말이 이해가 갔습니다.

"펭귄 씨, 이곳은 하루 종일 어두워서 살아가기 힘들지 않나요? 저는 우울할 때 호숫가에서 햇빛을 쬐곤 했어요. 그렇지 않으면 조금씩 제 마음에 나쁜 잡초가 생겨나서 저를 잡아먹고, 그 자리엔 결국 제가 없게 되거든요. 당신은 마음이 어두울 때 이 어둠속에서 어떻게 하나요?"

"나는 너처럼 자유롭게 날아다닐 수 없는 처지란다. 이 어둠속에서 매일의 일상을 여행처럼 살아내는 데는 아주 큰 노력이 필요하지. 나는 햇빛이 없을 때는 마음속에 나만의 태양을 만들지. 나의 햇빛은 네가 생각하는 햇빛과는 다르단다. 나만의 태양을 키우는 데는 아주 오랜 시간이 걸리지."

"탐험가 기러기씨도 비슷한 말을 한 적이 있어요. 탐험가 기러기씨는 마음속의 해와 달을 가진 새거든요."

"나는 기러기처럼 날 수 없는 대신 바다를 여행하곤 하지.

바다에서 사냥한 맛있는 생선을 먹을 때도 내 마음에는 행복의 햇빛이 자라나지만, 그건 아주 잠깐이야. 오로라처럼 말이야. 내 마음속에는 영원한 태양이 있단다. 그건 바로 내 귀여운 아기 펭귄들이야. 이 아기 펭귄들은 나의 사랑이자 나의 '최고의 장면'이지."

펭귄은 저 멀리 뒤뚱거리며 하얀 솜뭉치처럼 걷는 새끼 펭귄들을 가리키며 말했습니다.

"저는 제 꿈은 알지만, 사랑을 잘 몰라요. 사랑을 알게 되면 펭귄씨처럼 저도 저만의 '최고의 장면'을 찾을 수 있게 될까요?"

"그럼, 사랑의 도시 아메라(Amera)에 가서 은행나무를 만나보는 게 어떠니? 그 은행나무는 천년을 살았단다. 가장 길고 아름다운 사랑을 했던 나무여서, 네가 사랑을 이해하는데 많은 도움을 줄거야."

더키는 펭귄의 조언이 너무 고마웠습니다. 내면의 사랑을 알게 되면 이번에야말로 '최고의 장면'을 찾을 수 있을 거라 생각했기 때문입니다. 더키와 호박벌은 다시 비행기에 올랐습니다. 다시 며칠 동안이나 눈 속을 지나야 했지만, 그들의 마음은 오로라를 본 이후로는 꽤나 형형색색으로 빛나고 있었기에 그리 힘들지 않았습니다.

한참을 눈 속을 비행하며 날아가고 있는데, 저 아래 키위새 가족들이 보였습니다. 키위새 가족들은 온몸을 꽁꽁 싸맨 채 오로라를 보기 위해 유포리아로 향해 걸어가고 있었습니다. 열심히 걸어가고는 있었지만 날 수 없는 키위새들은 걸음 마저도 너무나도 느렸습니다.

"저 키위새들을 봐. 저렇게 걸어서는 유포리아에 도착하지 못할 거야. 저 속도로는 영원히 말이야. 경비행기로도 우린 며칠을 눈 속을 뚫고 수백키로를 날아왔는 걸."

하지만 키위새 가족은 느리지만 누구보다 즐겁게 걷고 있었습니다. 아기 키위새들은 짐을 잔뜩 맨 아빠 키위새를 뒤를 따라 걸으면서, '세상에서 가장 멋진 아빠 키위새'라고 재잘거리면서 열심히 응원했습니다.

"평생 걸어도 절반도 가지못할걸..."

"그래도 저 키위새 가족은 유포리아로 가는 동안 영원히 행복할거에요. 지금도 저렇게나 즐거워하는 걸요."

To. 존경하는 독수리씨

저는 세상에서 가장 높은 샹그릴라와 가장 아름다운 오로라가 있는 유포리아를 여행했어요. 아쉽지만 이 곳에서도 저는 '최고의 장면'을 찾진 못했답니다. 아마 제가 사랑을 모르기 때문인 것 같아요. 저희는 사랑의 도시 아메라에 가보기로 했어요. 이번에는 정말로 '최고의 장면'을 찾을 수 있을 것 같아요.

새들이 벌써 우리의 이야기를 좋아해준다니 다행이에요. 어서 '최고의 장면'을 찾아서, 제 이야기들을 새들이 더 많이 좋아해줬으면 좋겠어요. 당신이 보내주는 돈으로 우리는 매일 맛있는 꿀을 사 먹는답니다. 하지만 저는 더 좋은 경비행기를 사고 싶어요. 멋진 머플러도 갖고 싶고요. 저도 당신처럼 돈을 많이 벌어서 다른 새들에게 멋진 기회를 주는 오리가 되고 싶어요.

From. 더키 드림

#8 세상에서 가장 깊은 사랑: 아메라의 파랑새

더키와 호박벌은 아주 따뜻하고 진귀한 식물들이 많이 자라나는 아메라 섬으로 향했습니다. 펭귄이 가르쳐준대로 섬 중앙까지 날아가자 어느 순간부터 노란색 빛이 시야를 덮기 시작했습니다.

처음에는 화려한 조명 인줄 알았던 이 노란색 빛은, 알고 보니 아주 거대한 은행나무의 잎들이 펼치는 거대한 색의 축제였습니다. 천 년을 살아온 은행나무는 너무나도 거대해서 마치 수십 그루의 나무가 한꺼번에 자라고 있는 것 같았습니다. 은행나무 곁에는 예쁜 파랑새가 날아다니며 은행나무의 곁을 지키고 있었습니다. 마침내 은행나무 곁에 내려온 더키와 호박벌은 은행나무의 노란 잎이 푹신푹신해서 기분이 좋았습니다.

"은행나무 할아버지, 안녕하세요? 저는 집오리 더키라고 해요."

눈을 감고 있던 은행나무는 한참 후에야 천천히 눈을 뜨며 말했습니다.

"아니, 너는 집오리 아니니? 많은 새들이 나에게 사랑에 대한 조언을 찾으러 왔지만, 집오리는 처음인 것 같구나. 어떻게 여기까지 오게 되었니? 너는 날 수 없을 텐데."

"저는 경비행기를 타고 날아다니며, '최고의 장면'을 찾아 다니고 있어요. 저는 꿈을 알지만, 사랑을 몰라서 할아버지에게 사랑에 대한 이야기를 듣기 위해 찾아왔어요."

"그래. 너는 아직 청년 오리이니 사랑을 모르겠구나. 하지만 사랑은 살아가면서 가장 중요한 것이란다. 생명은 혼자서는 완벽해질 수 없어."

옆에서 가만히 듣고 있던 호박벌은 귀가 쫑긋해졌습니다. 지금까지의 그 어떤 이야기보다 흥미로운 이야기였거든요.

"어떤 기억은 평생을 살아가게 하지. 나는 900년동안 사랑했던 나의 배우자 은행나무가 죽은 뒤, 지금까지도 그 사랑을 잊지 않고 살아가고 있단다. 나를 가장 완벽하게 해준 나의 영원한 사랑이 죽은 뒤, 나는 단 하루도 빠짐없이 그녀를 그리워한단다."

늘 듣기만 하던 호박벌은 이번에는 호기심을 참을 수 없어 조심스럽게 물었습니다.

"은행나무 할아버지, 사랑이란 내가 아닌 또다른 무언가를 목숨처럼 깊이 아끼는 마음일까요?"

"그렇단다. 그 마음이 영원히 지속되며 자신을 압도할 정도로 커지는거지. 아무리 오랜 세월이 지나도 절대 변하지 않고 말이야. 많은 새들은 강렬한 사랑의 호르몬에 빠지곤 하지만 몇년도 되지 않아 금세 시들해지고 만단다. 하지만 사랑이란 그렇게 자극적이고 강렬한 모험과 같은 감정을 함께 비행하는 것을 넘어서는 것이란다. 그 강렬한 감정이 조용히 사그러들지라도 변함없이 서로를 아끼고자 하는 용기를 수반한 마음이란다. 아주 많은 노력과 의지가 필요한 것이지. 마치 어미새가 그 어떤 고난속에서도 아기새를 영원히 돌봐주는 것처럼 말이야."

"하지만 때때로 아프거나 힘들거나 지친다면요?"

"그럼에도 불구하고 포기하고 싶지 않은 마음이란다. 영원히."

호박벌은 만족스러운 대답을 얻었는지 한껏 의기양양한 표정이 되었습니다. 특별히 호박벌은 '영원'이라는 말을 너무나도 좋아했기 때문입니다. 하지만 더키는 그래도 여전히 사랑이라는 것이 머릿속으로 잘 이해되지 않았습니다.

"사랑은 네가 알지 못하는 순간에 이미 너를 찾아와 네 모든 경험들을 깊숙하게 물들이고 있을 거란다. 사랑은 네 영혼을 완전히 다른 색으로 바꿔 놓기도 해. 그 어떤 경험보다 아프고 성숙한 경험일거야. 때가 되면 너도 내 말뜻을 알게 될 거란다."

그때 멀리서 파랑새가 날아와 은행나무에게 수다를 떨었습니다. 하얀색 배를 제외하고는 선명한 파란색 깃털이 온몸을 감싼 깜찍한 파랑새였습니다. 파랑새는 그 어느 새들보다 수다쟁이였습니다.

"글쎄, 못생긴 딱따구리가 할아버지에게 자리를 잡고 딱딱한 부리로 구멍을 뚫어 둥지를 만들려고 하지 뭐에요? 얼씬도 못하게 아주 혼쭐을 내주고 왔어요. 다시는 근처에 오지 못할거에요!"

"고맙구나 파랑새야."

"할아버지가 보고 싶어하는 다람쥐 가족들이 놀러 올 거에요. 예쁜 모습으로 맞이해 줘야죠."

파랑새는 한참을 은행나무 곁에서, 오래된 나뭇잎과 나뭇가지를 정리해주고, 물을 길어다가 건조한 할아버지의 뿌리에 쉴새없이 뿌려주었습니다. 더키는 파랑새의 푸른 깃털과 은행나무 할아버지의 노란 잎이 만들어내는 예쁜 색의 조합을 멍하니 쳐다보다가, 참 아름답다는 생각을 했습니다. 말끔 해진 은행나무 할아버지는 다시 눈을 감고 한참을 깊은 잠에 빠졌습니다.

"파랑새야, 너는 은행나무 할아버지를 참으로 아껴주는구나."

"그렇지. 나는 어렸을 때 엄마 파랑새가 날 떠나버린 후, 은행나무 할아버지에 둥지를 틀고 혼자 살아왔거든. 할아버지는 나에게 우산이 되어준 가장 소중한 가족이란다."

한참을 잠에 빠져있던 은행나무 할아버지는 다시 눈을 뜨고 더키를 바라봤습니다.

"아니, 너는 집오리 아니니? 어떻게 여기까지 오게 되었니? 너는 날 수 없을 텐데."

은행나무 할아버지는 더키를 알아보지 못했습니다. 당황한 더키는 파랑새를 올려다봤습니다. 파랑새는 조심스럽게 더키에게 날아와 귓속말을 했습니다.

"할아버지는 너무 오래 사셔서, 기억을 자꾸 잃는단다. 그는 아주 오래된 일은 기억하지만, 최근의 일은 기억하지 못해. 할아버지의 기억력은 뿌리와 함께 조금씩 메말라가고 있어."

파랑새는 다시 은행나무 할아버지의 노란 잎들을 정리해주고, 향기로운 물을 잎에 뿌려주었습니다.

"글쎄, 잘난 척하는 딱따구리가 할아버지에게 자리를 잡고 둥지를 만들려고 하지 뭐에요? 얼씬도 못하게 아주 혼쭐을 내주고 오는 길이에요."

"고맙구나 파랑새야."

"할아버지가 보고 싶어하는 나비 가족들이 놀러 올 거에요. 예쁜 모습으로 맞이해 줘야죠."

호박벌은 파랑새의 모습에 호기심이 차올라 파랑새에게 속삭이며 물었습니다.

"파랑새씨, 당신이 아무리 가꿔주고 얘기해주더라도, 은행나무 할아버지는 어차피 모두 금세 잊어버릴 텐데요. 파랑새씨가 하는 행동과 말을 모두요. 그런데 당신은 왜 끊임없이 반복하나요?"

"나는 은행나무 할아버지가 매순간 영원처럼 행복했으면 좋겠거든."

호박벌은 눈이 초롱초롱 해지면서 더키에게 말했습니다.

"지금까지 제가 본 그 어떤 장면보다 아름다워요."

더키는 파랑새덕에 사랑이 뭔지 알 것만 같았습니다. 파랑새는 은행나무 할아버지의 생명력이 다해가고 있음을 알았지만, 연연하지 않고 끊임없이 은행나무 할아버지를 가꾸어 주길 반복하며 수다를 떨 뿐이었습니다. 파랑새는 수다스럽게 더키에게 말했습니다.

"만약 네가 사랑에 대해 더 알고 싶다면, 핑크 빛 소금 바다인 핑크마리나에 가보는 건 어떠니? 그곳에는 세상에서 자신을 가장 사랑하는 플라밍고가 살고 있단다. 사랑에는 많은 종류가 있으니 네게도 도움이 될 거야. 자기 자신을 사랑하는 건 가장 어려운 거란다."

"세상에서 자신을 가장 사랑한다는 건가요? 그 또한 멋있는 사랑 인걸요?"

더키와 호박벌은 이번에야말로 가장 위대한 사랑을 알 수 있게 되어, '최고의 장면'을 볼 수 있게 될 것 같았습니다. 은행나무 할아버지는 다시 천천히 눈을 뜨고 더키를 쳐다봤습니다.

"아니, 너는 집오리 아니니? 여긴 어떻게 왔니? 너는 날 수 없을 텐데."

"할아버지, 저는 경비행기를 타고 날아다니며 '최고의 장면'을 찾아 여행하고 있어요."

파랑새는 피곤해 보이는 은행나무 할아버지에게, 은행잎처럼 예쁜 노란 프리지아꽃을 건네며 말했습니다. 파랑새의 눈은 조금 슬퍼 보였습니다.

"글쎄, 못된 딱따구리 녀석이 할아버지에게 자리를 잡고 둥지를 만들려고 하지 뭐에요? 얼씬도 못하게 아주 혼쭐을 내주고 오는 길이에요."

"고맙구나 파랑새야."

#9 세상에서 가장 아름다운 새: 핑크 마리나의 플라밍고

더키와 호박벌은 파랑새가 가르쳐준대로 다시 넓은 바다 위를 날기 시작했습니다. 끝없는 수평선 위를 며칠을 쉬지 않고 날았습니다. 석양이 질 때면 호박벌은 탄성을 질렀습니다. 저 멀리 큰 혹등고래들이 노래를 부르며 꼬리로 반가운 인사를 해주었기 때문입니다. 호박벌은 바다 내음을 유난히 좋아했습니다.

"저는 다시 태어나면 꼭 바다에 사는 돌고래로 태어나고 싶어요. 꼭이요!"

"그럼 나는 큰 혹등고래로 태어나서 너와 같이 바다를 여행하고 싶어. 하늘을 나는 것만큼 재밌을 거야."

한참을 날아 저 멀리 핑크 빛 해변이 보였습니다. 호박벌은 탄성을 질렀습니다.

"세상에, 해변이 온통 핑크색으로 빛나요!"

더키는 온통 핑크색 소금 모래로 뒤덮인 예쁜 카페 옆에 경비행기를 착륙 시켰습니다. 이미 많은 새들이 플라밍고를 보기 위해 몰려들어서 카페는 수많은 종류의 새들로 가득했습니다. 더키는 음식을 주문했습니다.

"이 레스토랑에서 가장 맛있는 꿀을 접시 한가득 주세요. 빵도 함께요."

곧 멋진 페리칸 웨이터가 핑크색 꿀단지에 꿀을 한가득 내어왔습니다. 색깔이 연분홍 빛으로 빛나는 독특한 꿀이었습니다.

"이렇게 아름다운 꿀을 먹을 수 있다니. 나는 정말 영원히 행복한 호박벌이야. 헤헤헤."

더키와 호박벌은 꿀을 먹으며 멋진 플라밍고를 넋을 잃고 감상했습니다. 플라밍고의 몸은 공주님 같은 연 분홍빛이었고, 부리는 빨간색이었습니다. 그리고는 진분홍의 아주 긴 다리 중, 한 다리를 올리고 고개를 숙인 채 숨죽이고 있었습니다. 곧 플라밍고는 바다에 비친 자신의 모습을 거울삼아 한참을 자신을 내려다봤습니다. 그 모습은 경이로웠습니다.

플라밍고는 자신이 가장 돋보이는 곳에서 모두에게 자신을 뽐냈습니다. 구경꾼 새들은 플라밍고의 모습을 보며 사진을 찍기도 했습니다. 플라밍고는 이윽고 바이올린을 꺼내 들어 연주하기 시작했습니다. 플라밍고는 자신이 바이올린을 켜는 모습이 사진에 찍히는 게 좋았습니다. 썩 듣기 좋은 연주는 아니었지만, 구경꾼 새들은 박수를 쳐주며 플라밍고를 칭찬해주었습니다. 사진도 찍지 않고 자신을 멍하니 바라

보는 더키를 발견한 플라밍고는 말을 걸어왔습니다.

"너는 집오리가 아니니? 여기는 어떻게 왔니? 나는 살면서 한 번도 집오리를 만나 본적이 없어."

"안녕하세요 플라밍고씨, 저는 경비행기를 타고 날아다니며 '최고의 장면'을 찾아 다니고 있어요."

"'최고의 장면'이라? 그렇다면 아주 잘 찾아왔구나. 나는 세상에서 가장 아름다운 새란다. 모두가 날 위해 호의와 편의를 베풀어준단다. 세상의 새들은 나에게 가장 아름다운 것들을 선물하지. 내 모습을 사진에 담아 두면 너는 두고두고 '최고의 장면'을 볼 수 있을 거야."

"플라밍고씨, 저는 당신이 최고의 사랑을 하는 새라고 들었어요."

"나는 나 자신을 가장 사랑하는 새이기 때문이야. 가장 완벽한 사랑은 자신과의 사랑이란다. 세상은 날 위해 존재한단다."

"하지만 꼭 아름다워야만 자신을 사랑할 수 있는 건가요? 저는 저를 아름답게 가꾸지 않아도 저 자신을 사랑해요. 제 이야기를 사랑하거든요. 제가 살아온 이야기 속의 저를요."

플라밍고는 더키의 말을 귀담아듣지 않았습니다.

"음... 그나저나 이 못생긴 벌레는 뭐니?"

플라밍고는 호박벌을 가리키며 도도하게 물었습니다. 더키는 처음으로 마음속에서 크게 화가 났지만 표현하지 않고 침착하게 대답했습니다.

"제 영원한 친구이자 아름다운 호박벌이에요. 날고자 하기 때문에 날 수 있는 멋진 친구죠."

"이 호박벌이 아름답다고?"

플라밍고의 하루는 오로지 자신의 모습을 들여다보며 가꾸고, 예쁜 각도로 서서 모두의 부러움을 받는 것이 전부였기에 자신보다 아름다운 존재가 나타날까 늘 불안해했습니다. 플라밍고는 호박벌을 한참을 살피더니 호박벌의 머플러를 유심히 봤습니다.

"너는 꽤나 좋은 머플러를 했구나?"

"플라밍고씨, 당신은 머플러가 없어도 아름다운 걸요."

보석으로 치장한 플라밍고 앞에서 호박벌은 주눅이 들었지만 상냥하게 말했습니다.

"그건 당연한걸. 얼마전엔 위대한 지도자 수리 부엉이도 날 찾아왔지. 가장 위대한 성취를 한 그 수리 부엉이 말이야. 그 또한 내게 찾아와 자신을 사랑하는 것에 대한 조언을 구했단다. 나는 그만큼 아름다운 새란다."

"위대한 수리 부엉이요? 그는 어디에 살고 있나요?"

"그는 몽생미셸이라는 큰 성에 혼자 살고 있지. 너는 세상을 잘 모르는구나? 내가 많은 걸 알려줄 수 있지. 너희는 세상에서 가장 아름다운 것들을 찾아 헤매는 모양이지만, 너희는 절대 나보다 아름다운 걸 발견할 수 없을 걸?"

더키와 호박벌은 플라밍고와 더이상 대화를 나누고 싶지 않았습니다. 하지만 플라밍고 덕분에 다음 여행지를 알 수 있었습니다. 더키와 호박벌은 플라밍고에게 정중히 작별 인사를 하고 재빨리 핑크 빛 소금 바다를 떠나기로 했습니다. 경비행기에 오르며 더키가 말했습니다.

"호박벌아, 몸에 보석을 두른다고 보석처럼 반짝이는 새가 되는 건 아니야. 플라밍고는 스스로를 사랑하지 않아. 허영심만 가득한 못난 새일 뿐이야. 자신을 사랑하는 새는 남들을 배려하며 다정하게 말할 수 있는 새란다."

"저도 그렇게 생각해요. 하지만 플라밍고는 자신을 사랑하는 새라고 스스로 믿는 것 같아요. 구경꾼 새들은 겉으로는 박수쳐주지만 그저 플라밍고를 구경거리로 취급할 뿐이지 그를 존중하지 않아요. 그 모습은 저를 슬프게 했어요."

"그래. 하지만 우리가 그 사실을 알려줘도 플라밍고는 인정하지 않을 거야. 자신의 세계를 깨는 건 엄청난 용기가 필요하거든. 플라밍고는 달콤한 핑크 빛 상상의 세계로 끝없이 도피하고 있을 뿐이야. 이제 어서 수리 부엉이를 찾아가 보자. 그는 위대한 성취를 했으니 '최고의 장면'에 대해 알고 있을 거야."

To. 존경하는 독수리씨

저는 사랑의 도시 아메라와 핑크 마리나를 여행했어요. 저는 파랑새와 은행나무 할아버지를 통해 사랑을 알게된것만 같아요. 저는 참 많은 것을 모르는 집오리였어요.

하지만 핑크 마리나의 플라밍고를 찾아 온건 실수였어요. 그렇지만 플라밍고 덕분에 우리는 몽생미셸의 수리 부엉이를 만나러 가보기로 했답니다. 위대한 성취를 이룬 수리 부엉이를 만나면 위대한 사랑과 위대한 꿈에 대해 알 수 있겠죠? 그는 '최고의 장면'을 분명히 봤을 거에요.

From. 더키 드림

#10 세상에서 가장 위대한 성취: 몽생미셸의 폭군 수리 부엉이

더키와 호박벌은 그동안의 긴 여행으로 많이 지쳤지만 이번에야말로 '최고의 장면'을 볼 수 있을 것 같았습니다. 수리 부엉이가 사는 몽생미셸은 워낙 유명한 성이었기에 지나가는 모든 새들이 몽생미셸의 위치를 알려줘서 쉽게 찾아갈 수 있었습니다. 몽생미셸은 바다로 둘러싸인 거대한 성이었는데 그곳에 수리 부엉이 혼자 살고 있었습니다. 이 엄청난 성에는 들어가는 것조차 어려웠습니다. 너무나도 거대했기 때문입니다.

더키와 호박벌은 성문에 이르러 두려운 마음이 조금 앞섰습니다. 길을 알려주는 새들은 때로 수리 부엉이가 이기적인 폭군이니 조심하라는 조언을 해줬거든요. 더키와 호박벌은 성밖에 경비행기를 두고 한참을 걸어 성문에 도착했습니다. 성문은 너무나도 무거웠습니다. 넓고 넓은 성 안의 가장 크고 화려한 방에 수리 부엉이가 살고 있었습니다.

"부엉이씨 계신 가요?"

수리 부엉이는 위협적으로 날개를 펼쳐 보이며 나왔습니다. 그의 눈썹은 화난듯 치켜 올라가 있었고 눈은 독수리보

다도 매서웠습니다. 황갈색의 멋진 무늬의 날개와 날카로운 발톱은 듣던 대로 카리스마가 넘치는 모습이었습니다.

"누가 허락도 없이 이곳을 방문한 것이냐?"

"저는 집오리 더키라고 해요."

"아니, 집오리가 어떻게 여기까지 왔지? 아하, 넌 경비행기를 조종한다는 그 집오리구나! 너에 대해 들은 적이 있다."

"네 부엉이씨, 저는 경비행기를 타고 날아다니며 '최고의 장면'을 찾아 다니고 있어요. 당신은 위대한 성취를 한 새라고 들었어요. 당신에게 '최고의 장면'을 여쭙고자 이렇게 찾아왔습니다."

"'최고의 장면'이라... 내가 그것을 알려준다면 넌 나에게 무엇을 해줄 수 있지?"

더키와 호박벌은 가진 게 많지 않았기에 우물쭈물했습니다.

"너희들이 이곳에 머물면서 나의 이야기를 들어준다면, 생각해보지."

"그건 어렵지 않은 걸요."

더키와 호박벌은 성안의 궁전 같은 방에 안내를 받고 며칠 동안 수리 부엉이의 이야기를 들어주기로 했습니다. 매일 달콤한 꿀과 빵이 제공되었기에 더키와 호박벌은 매우 편안히 머무를 수 있었습니다. 매일 밤 수리 부엉이는 자신의 이야기를 들려주면서 더키의 의견을 물었습니다.

"내게는 많은 백성 부엉이들이 있단다. 나는 이 성을 정복하는 위대한 성취를 이뤘지만, 내 백성 부엉이들은 나를 존경하지 않아. 많은 부엉이들이 나의 전쟁을 통해 다치거나 목숨을 잃었거든. 너는 청년 오리이니까, 네 입장에서 내가 어떻게 하면 좋을지 알려주겠니?"

"음... 백성 부엉이들은 당신의 진심 어린 사과가 필요하지 않을까요?"

"아니야! 백성 부엉이들은 위대해지기 위해서는 용서가 필요하다는 걸 어서 배워야 해!"

"맞아요, 모든 게 용서될 때의 기분은 정말 유쾌하죠. 알바트로스가 말해준 적 있어요. 하지만 용서에는 오랜 시간이 필요하답니다."

"그런 어리석은 새의 말 따위는 내 알바 아니야! 어리석은 부엉이들은 나같은 위대한 부엉이가 지도자인걸 자랑스럽게 여기지 못해. 내가 안전한 곳에서 더 멋진 인생을 살게 해주었는데도 말이지!"

"그렇다고 그들의 마음의 고통이 사라지는 건 아니에요.

그들을 위해서라면 당신은 백성 부엉이들과 함께 있어서는 안돼요. 그들이 당신을 용서를 한다고 해서 그들의 상처받은 기억이 사라지는 건 아니거든요. 당신은 영원히 이 성에 혼자 살아야 완벽히 용서받을 수 있어요."

더키의 냉정한 말에 수리 부엉이는 울먹이며 돌아섰습니다. 호박벌이 말했습니다.

"당신은 너무 냉정했어요. 수리 부엉이는 아마 하루 종일 울 거에요."

"하지만 자신만의 영광을 위해 다른 새를 희생시킨 부엉이는 동정심을 받을 자격이 없단다."

다음날도 그 다음날도 수리 부엉이는 '최고의 장면'에 대해서 알려주지 않았습니다. 더키와 호박벌은 편한 잠자리에서 달콤한 꿀을 먹으며 하루하루 시간을 보냈지만 기다림에 지쳤습니다. 특히 호박벌의 안색이 점점 안좋아지기 시작했습니다.

"저, 부엉이씨. 저희에게 '최고의 장면'을 언제쯤 알려줄 수 있을까요?"

수리 부엉이는 매서운 눈길로 위협적으로 말했습니다.

"'최고의 장면'이란 건 없어. 알바트로스는 너에게 거짓말을 한 거야."

"아니에요, 그럴 리 없어요. 알바트로스는 모든 새에게 존경받는 위대한 새 인걸요."

수리 부엉이는 더키가 알바트로스의 칭찬만 하는 게 못마땅했습니다.

"부엉이씨, 우리는 '최고의 장면'을 찾기 위해 이 여행을 계속 해야해요. 독수리씨와 약속도 했구요."

"너희가 여기서 계속 내 얘기를 들어준다면, 나는 너희에게 독수리보다 훨씬 많은 돈을 주마. 매일매일 맛있는 음식도 제공하고. 단, 너희는 내 허락 없이는 이 곳을 떠날 수 없어!"

수리 부엉이는 방으로 들어가버렸습니다.

"호박벌아. 부엉이는 신의가 없는 새야. 이곳이 아무리 달콤해도 머물면 안되겠어. 그가 우리에게 마음대로 행동하면, 우린 대가를 받고 그의 행동을 정당화할 수 있거든. 우리 어서 도망치자"

하지만 더키와 호박벌이 도망치려 해도 성문은 굳게 닫혀있었습니다. 더키와 호박벌은 탈출하기 위해 높은 성의 창문에서 뛰어내릴 수밖에 없었습니다. 잘 날지 못하는 더키와 호박벌은 데굴데굴 굴러 떨어져버렸습니다. 더키는 몸에 상처가 생겼지만 크게 다치진 않았습니다. 하지만 호박벌은 날개를 크게 다치고 말았습니다. 더키는 호박벌을 안고 부엉이에게 들키지 않게 경비행기를 찾아 몰래 뛰었습니다. 간신히 경비행기를 찾은 더키는 호박벌을 어깨에 올려놓고 빠르게 이륙하기 시작했습니다.

"우리 이제 어디로 가지?"

하지만 경비행기는 얼마 날지 못해 땅으로 떨어져버렸습니다.

"부엉이가 경비행기를 망가뜨려 놓은 것 같아."

#11 세상에서 가장 험난한 고난의 시작

그들이 불시착한 곳은 다행히도 사막이었습니다. 경비행기는 사막의 푹신한 모래위에 떨어져 다행히 크게 망가지지 않았습니다. 더키는 열심히 비행기를 고치기 시작했습니다. 날개를 크게 다친 호박벌을 치료하기 위해 빨리 사막을 벗어나야 겠다고 생각했지만, 비행기를 고치는 일은 쉽지 않았습니다.

비행기를 고치는 내내 호박벌은 이상하게 조용했습니다. 유난히 유채색처럼 샛노랬던 줄무늬도 점점 색이 옅어지는 것 같았습니다. 마침 귀여운 사막 닥새가 지나가다 더키와 호박벌을 발견했습니다. 너무도 작은 사막 닥새는 까만 눈을 깜빡이며 더키에게 말을 걸어왔습니다.

"너는 집오리 아니니? 여기서 뭘하는거니?"

"너는 사막 닥새구나! 내가 뭘 좀 물어봐도 되겠니? 우리는 지금 너무 목이 말라. 우리에게 오아시스를 알려줄 수 있겠니? 그리고 이곳을 벗어나려면 어딜 향해 가야 하는지도 말이야."

"오아시스는 많이 멀어서 이틀 정도 걸어야 해. 사막 여우를 만나 물을 얻어보는게 어떠니? 이곳에서 조금만 걸어가다 보면 사막 여우가 사는 집이 나올 거야. 하지만 사막 여우는 장난치는 걸 좋아하니 조심하렴."

더키는 호박벌을 어깨위에 올려놓고 걷기 시작했습니다. 호박벌은 축 늘어진 채로 더키의 어깨에서 잠이 들었습니다. 더키는 사막여우의 집이 보이자 너무 반가웠습니다. 호박벌을 치료할 수 있게 도움을 받아야 겠다고 생각했습니다.

"안녕하세요, 사막여우씨 계신가요?"

"아니 너는 집오리가 아니니? 집오리가 사막에 오다니."

"저는 더키라고 해요. 경비행기를 타고 날아다니며 '최고의 장면'을 찾아 다니고 있어요. 사고로 경비행기가 이곳에 불시착하였답니다. 사실 제 친구 호박벌이 많이 다쳤어요. 혹시 물을 얻을 수 있을까요? 호박벌을 치료할 수 있는 약이 있다면 더 좋고요."

사막 여우는 무척 큰 귀와 눈을 가졌고, 생각이 깊어 보였습니다. 또 사막의 연한 모래 색과 같은 털을 가지고 있었습니다. 사막 여우는 잠시 고민하더니 말을 이어갔습니다.

"우리집 뒤의 모래 언덕을 건너면, 선인장들의 그늘 사이로 내가 길어다 놓은 물동이들이 한가득 있을 거야. 그 중에서 한 동이 정도면 너희가 이곳에서 마시면서 쉬어가기에 충분할 거란다."

"고맙습니다, 사막여우씨. 제가 물을 가져오는 동안 호박벌이 잠시 당신의 집에서 쉬어갈 수 있을까요?"

"그래, 찢어진 날개를 내가 임시로 붙여줄 수 있지. 꿀도 조금 먹이고 말이야."

"감사합니다, 사막여우씨."

"그래, 너는 '최고의 장면'을 찾는다고 했지?"

"네 맞아요. 우리는 세상의 가장 화려하고 가장 높은, 그리고 가장 아름다운 곳들을 수없이 여행했답니다. 하지만 끝내 찾지 못했어요."

"집오리야, 왜 멋지고 화려한 것이 인생의 '최고의 장면'이라고 생각하는 거니? '최고'라는 말은 모든 걸 은유할 수 있지. '최고의 장면'은 고난일수도, 환상일수도 있단다. 환상은 때로 널 보호해주는 아주 중요한 역할을 하지."

더키는 사막여우의 말을 곰곰히 생각하며 혼자 모래 언덕을 오르기 시작했습니다. 내리쬐는 태양에 더키의 온몸이 뜨거워졌습니다. 하지만 더키는 호박벌에게 어서 신선한 물과 꿀을 먹이고 싶었습니다. 이 물만 한가득 가져가서 비행기를 고친다면, 다시 시원한 바다를 함께 날면서 호박벌이 회복될 수 있을 것 같았습니다. 하지만 더키가 어지러워서

사막 모래에 주저앉을 때마다 저 멀리 신기루가 보였습니다. 신기루 속에서 더키는 알바트로스처럼 광활한 하늘을 날고 있었습니다. 더키는 상승하는 기류를 타고, 경비행기가 없이도 자유롭게 자신의 날개만으로 세상의 모든 곳을 날아다니고 있었습니다.

"이건 환상일 뿐, '최고의 장면'이 아니야. 난 더이상 알바트로스처럼 날고 싶지 않은 걸."

세번째 이야기: 최고의 장면

#12 세상에서 가장 소중한 친구: 호박벌 이야기

더키는 물 한동이를 들고 다시 힘겹게 여우의 집으로 돌아왔습니다. 호박벌은 여우의 침대에 꿀도 마시지 않은 채 누워있었습니다. 호박벌은 더키가 길어온 물을 마시지도 못했습니다. 호박벌의 몸은 너무 약해져 있었습니다.

"네가 아프니 내 마음도 너무 아프단다."

더키는 호박벌을 어깨에 올리고 경비행기로 돌아가기 위해 한참동안 걷기 시작했습니다. 호박벌은 조심스럽게 입을 뗐습니다.

"저는 이제 고향으로 돌아가야 할 것 같아요."

"내가 돈을 많이 벌어서 우리가 매일 좋은 호텔에 머물며 너를 치료해준다면, 넌 나를 떠나지 않을 거니?"

"저는 당신을 떠나고 싶지 않아요. 하지만 사실 호박벌은 수명이 아주 짧아요. 수명이 짧기에 영원이라는 말을 아주 좋아하죠. 고향의 꿀을 먹으면 조금이라도 더 살 수 있을 것 같아요."

호박벌의 줄무늬는 더이상 노란색으로 빛나지 않았고, 여우가 치료해준 날개는 점점 투명해져 갔습니다. 사막을 걷는 더키의 발걸음은 너무나도 무거웠습니다. 사막의 수많은 별들이 눈물처럼 우수수 더키에게로 쏟아질 것만 같았습니다.

"저는 당신이 저를 영원한 친구라고 불러주기 시작했을 때, 밤새 몰래 울었어요. 사실 저는 오래전부터 조금씩 아팠어요. 은행나무 할아버지를 만났을 때쯤부터요. 하지만 저는 당신과의 시간을 놓쳐버리고 싶지 않았어요. 때때로 아프거나 힘들거나 지친다고 해도, 영원히 포기하고 싶지 않은 마음이 사랑이라고 한다면, 저는 영원한 사랑을 얻은 호박벌이에요. 정말 엄청난 일이죠. 저는 사랑을 얻은 유일한 호박벌일거에요. 그래서 저는 파랑새처럼 줄곧 당신을 떠나지 않았어요. 저는 당신이 은행나무 할아버지처럼 매순간 영원처럼 행복했으면 좋겠거든요."

"내가 '최고의 장면'을 빨리 찾을 수 있었더라면, 네가 다치지 않고 더 오랜 시간을 함께 할 수 있었을 텐데."

"사실 저는 저의 '최고의 장면'을 오래전에 찾았어요. 우리는 늘 신선한 꿀 한그릇을 시켜 놓고 사이좋게 나눠 먹었죠. 제가 꿀을 마음껏 마실 때, 당신은 빵에 꿀을 듬뿍 발라 맛있게 먹곤 했어요. 그 순간이 저에겐 가장 완벽한 순간이었어요. 제 인생 '최고의 장면'이었어요! 전 정말 모든 걸 이룬 멋진 삶을 살았어요."

"나도 너와 함께한 매 순간들이 즐거웠어."

"저는 여행을 시작하던 순간부터 이미 당신이 특별하다는 걸 알았어요. 아무도 저같이 작고 보잘것없는 존재를 쉽게 눈치채지 못하지만, 당신은 한번에 날 알아봤어요. 그건 제게 정말 엄청난 경험이었죠."

호박벌은 숨을 헐떡이며 말을 이어갔습니다.

"우리가 야간비행을 할 때의 밤하늘의 별들을 기억하나요? 당신은 비행을 하느라 정신없었지만, 저는 하늘에 박힌 그 빼곡한 별들을 아주 천천히 볼 수 있었어요. 별이 제 마음속에 보석처럼 박혀서 저는 세상에서 가장 화려한 호박벌이 된 것 같았다고요. 샹그릴라에 갔을 때 본 에메랄드 빛 호수와 색색의 야생화들은 또 어떻고요! 오로라는 말할 것도 없죠. 제 영혼은 그때 극채색으로 영원히 바뀌어 버렸어요. 끝없는 바다의 석양과 혹등고래의 인사는 어떻고요! 핑크 빛 소금 바다 속에 비친 제 모습은, 플라밍고의 말과는 달리 너무 예뻤어요. 당신이 저를 위해 플라밍고에게 화가 났을 때 저는 감사한 마음으로 영원히 풍만한 호박벌이 됐답니다. 지금도 저는 제가 유명한 화가가 그린 한 폭의 그림 속에 사는, 눈부시게 아름다운 사막의 그림 같은 호박벌인 것만 같아요. 나는 정말 영원히 행복한 호박벌 이에요!"

To. 존경하는 독수리씨

저는 폭군 수리 부엉이를 만나 큰 위험에 처할 뻔했답니다. 결국 '최고의 장면'을 알아낼 수는 없었어요. 수리 부엉이는 위대한 성취를 이뤘지만 마음이 아픈 새였어요. 저의 경비행기가 사막에 불시착했지만, 저는 다행히 사막여우를 만나 도움을 받았습니다. 그곳에서 강렬한 환상을 봤지만 그것 또한 '최고의 장면'은 아니었어요.

독수리씨, 저는 이제 더이상 돈이 필요하지 않아요. 그리고 더 좋은 경비행기도 필요하지 않아요. 더 좋은 머플러도요. 독수리씨께 죄송하지만 저는 호박벌과 함께 잠시 고향에 돌아가도록 해야겠어요.

From. 더키 드림

#13 함께 한 여행의 끝

호박벌은 더키의 어깨에서 떨어질 것처럼 축 늘어진 채로 말했습니다.

"저는 5월이 가장 좋아요. 봄의 꽃과 여름의 꽃이 만나는 그 지점의 꿀은 아주 맛있답니다. 이제 다시 5월이 되다니. 우리가 만난지 벌써 1년이 지났군요. 저는 당신 덕분에 아주 오래 산 호박벌이에요."

"나도 5월이 가장 좋아. 비행하기에 가장 완벽한 날씨 거든."

"당신은 나와 정말 비슷한 게 많군요!"

"우리 그러면 너에게 소중한 너의 고향으로 같이 비행해서 돌아가자."

"하지만 당신의 '최고의 장면'은요?"

"이제 더이상 의미 없는 걸."

더키의 경비행기는 더키가 오래전 떠나온 고향을 향하고 있었습니다. 사막과 바다와 수많은 숲과 섬들을 지나, 무수한 석양이 반복되어도 호박벌은 더키의 어깨 위에서 조용히 잠을 잘 뿐이었습니다. 더이상 재잘재잘 수다를 떨지 않았습니다. 한없는 고요속에서 더키는 호박벌이 원래 있던 곳으로 며칠을 비행해 날아갔습니다. 그곳은 처음 알바트로스를 만난 곳과 가까운 곳이기도 했습니다.

그곳에 도착하자, 호박벌을 처음 만난 1년 전처럼 유채꽃이 만발하여 온통 샛노란 꽃잎들이 사방에 흩날리고 있었습니다. 하지만 그때와 다르게 호박벌은 죽어가고 있었습니다.

더키는 호박벌을 처음 만났던 그 자리에 호박벌을 놓아주었습니다. 호박벌은 유채꽃의 꿀을 마음껏 먹기 시작했습니다. 입에 꿀을 잔뜩 묻히면서 행복하게 꿀을 먹자, 호박벌에게 다시 유채꽃처럼 노란 줄무늬가 생기기 시작했습니다. 하지만 얼마 지나지 않아 호박벌의 몸이 무지개 빛으로 반짝 빛나더니 풀잎들 위로 힘없이 풀썩 하고 떨어지고 말았습니다. 호박벌은 더이상 움직이지 않았습니다.

더키는 수많은 유채꽃 잎을 모아서 호박벌 위에 덮어주었고, 그 위로 보슬비가 내리기 시작하자 우산을 씌워주었습니다. 더키는 비를 맞으며 이틀간 그 자리를 떠나지 않았습니다. 더키가 떠나면 홀로 남은 호박벌이 너무나도 외로울 것 같았기 때문입니다. 보슬비가 그치자 작은 무지개가 떴습니다. 더키는 이 무지개가 호박벌을 위해 영원히 떠있으면 좋겠다고 생각했습니다.

#14 최고의 장면

더키는 마음이 너무나도 아파 걷는 것조차 힘들었습니다. 잔뜩 지치고 여윈 더키는 알바트로스를 찾아갔습니다. 그 사이 많이 늙어버린 알바트로스는 이제 삶의 마지막을 준비하고 있었습니다.

"위대한 알바트로스씨, 그동안 잘 지내셨나요?"

"집오리야, 나는 네가 돌아올 것을 알고 있었단다."

알바트로스는 예전처럼 맑고 큰 눈으로 인자한 미소를 지었습니다.

"너는 분명 그동안 많은 곳을 여행했을테지?"

"저는 호박벌과 함께 '최고의 장면'을 찾아 세상의 수많은 곳을 비행하여 여행했어요. 세상에서 가장 화려한 도시, 가장 높은 곳, 가장 아름다운 장면, 가장 아름다운 사랑, 그리고 고난과 환상도 겪었지만, 결국 '최고의 장면'을 찾을 수 없었답니다. 저는 실패한 집오리에요."

더키의 눈에서 눈물이 뚝뚝 떨어졌습니다.

"집오리야, 너는 누군가와 함께했기에 이야기로 완성될 수 있었던, 아주 멋진 경험을 했구나. 네가 '최고의 장면'을 좇는 과정은 분명 힘들었겠지만 즐거운 일도 많지 않았니?"

"여행을 하는 동안 세상은 온통 태어나는 찬란한 봄과 같았어요. 매일매일이 5월의 햇살 같은 따스한 시간들이었어요. 하지만 저는 이제 제 마음속의 태양을 잃었어요. 호박벌이 없는 한 저는 앞으로도 '최고의 장면'을 찾을 수 없을 것 같아요. 이제 저에게 비행은 의미가 없어요. 저는 이제 무엇을 위해 나아가야 할까요?"

상심한 더키를 바라보며 알바트로스는 따뜻한 미소를 지었습니다.

"집오리야, 너는 '최고의 장면'을 이미 찾았단다."

더키는 알바트로스의 말에 놀랐습니다.

"제가 '최고의 장면'을 이미 찾았다고요?"

알바트로스는 평화로운 표정으로 말을 이어갔습니다.

"그렇단다. 네가 '최고의 장면'을 좇느라 경험한 그 모든 것들. 여행지 속에서 만난 수많은 새들과 호박벌과의 이야기. 네가 탐미하고 탐험하며 겪은 모든 경험적인 이야기... 그것들이 좋은 것이든 나쁜 것이든, 최고의 것이든 최악의 것이든 말이야."

더키의 머릿속에 그동안 자신이 지나온 경험들이 파노라마처럼 펼쳐졌습니다.

“네가 겪은 화려한 환희. 상실감으로 아파해서 깊어진, 그리고 희열로 인해 높아진 네 마음의 공간. 그리고 열병 같은 아픔을 겪으며 한층 높아진 네 영혼의 체온. 네가 경험한 것들은 너도 모르게 너 자신을 형성하고 있었단다."

알바트로스는 눈을 지긋이 감으면서 말을 이어갔습니다.

"시간이 지나 네가 지나온 이 흔치 않은 경험과 감정들은 한 폭의 그림처럼 펼쳐질 거야. 하나의 광활한 평면처럼 말이지. 네가 앞으로 살아갈 삶속에서, 네 마음에 전시처럼 펼쳐진 이 '최고의 장면'은 영원히 사라지지 않을 거란다."

알바트로스의 부러진 날개는 마치 하늘을 날고 있는 것처럼 펄럭거렸습니다.

"추억의 가루를 잔뜩 뿌려 둔, 소실점을 잃은 그 광활한 평면을 나는 아직도 영원히 날아다니고 있단다. 그 잠들지 않는 기억의 평면 위를... 나의 '최고의 장면' 위를 말이야. 너도 마찬가지란다. 네가 지나온 모든 강렬한 꿈과 사랑의 순간들을 앞으로 영원히 마음속으로 날아다니겠지."

알바트로스는 눈을 감고 깊은 잠에 빠진 듯했지만 매우 행복한 표정이었습니다. 더키는 알바트로스를 바라보며, 마음속으로 호박벌이 마지막으로 했던 말들을 떠올렸습니다.

To. 존경하는 독수리씨

저는 당신에게 마지막 편지를 씁니다. 저는 저의 '최고의 장면'을 찾았어요. 하지만 그게 뭔지, 제 이야기의 마지막 결말은 알려드릴 수 없어요. 그러면 새들은 결과를 미리 알고 흥미를 잃고 실망할 거거든요.

독수리씨, 이제 저는 더 이상의 돈은 필요 없어요. 저는 고향에 머물며 어린 집오리들, 어린 호박벌들과 시간을 보내며 그들의 꿈을 지켜주고 싶어요. 호밀밭의 파수꾼처럼요. 아마 언젠가 또다른 어린 집오리가 당신을 찾아가길 바라며. 그리고 제가 성장하여 조금 더 성숙해진 꿈이 생기면 다시 당신을 찾아갈게요.

From. 더키 드림

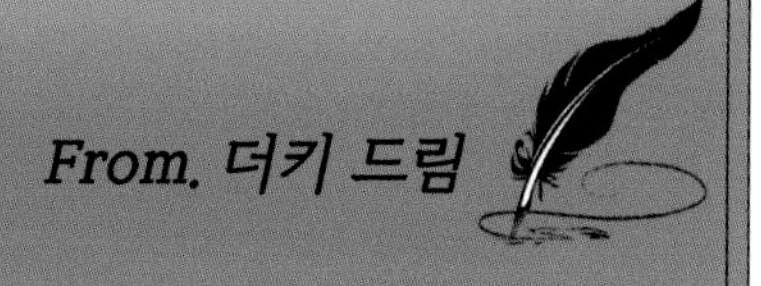

에필로그 Epilogue

1. 진정한 사랑
- What makes it true love

더키는 아주 오랜만에 엄마 오리를 찾아갔습니다. 형제들은 모두 행복한 엄마아빠 오리가 되어있었습니다. 그런데 조카 오리들은 이상하게도 다리가 유난히 길었습니다.

더키에게 엄마 오리가 물었습니다.

"더키야, 너의 긴 여행은 어땠니? 네가 원했던 꿈과 사랑을 넘어서는 '최고의 장면'을 찾았니?"

"그럼요 엄마. 저는 아주 멋진 여행을 했어요. 무언가 위대한 한가지의 도달점이 있을 거라고 믿는 것, 그 자체가 한 폭의 그림 같은 꿈과 사랑을 이루는 최고의 방법이라는 걸 배웠죠."

더키는 웃으며 말했습니다.

"음... 그리고 영원한 사랑을 이루기 위해서는 꿀을 아주 많이 먹어야 한다는 것도요!"

"어머, 더키야. 그런데 너는 원래 꿀을 아주 싫어하잖니!"

2. 나의 가장 아름다운 빈 집

- 어리석고 아름다운 계절은 지나가고

3. 끝나지 않은 가능성의 이야기
- The rest is still unwritten

4. 또 다른 시작
- Ending unplanned

THE END

파일럿이 된 집오리 (Pilot Duckey)
부제 : 최고의 장면을 찾아서

파일럿이 된 집오리 (Pilot Duckey)
부제 : 최고의 장면을 찾아서 (To find the ultimate scene)

2023년 7월 10일 초판 1쇄

지은이 앨릭스 채 Alex Chae
디자인 앨릭스 채 Alex Chae
이메일 pilot.duckey@gmail.com
펴낸곳 뷰티풀벡터(Beautiful Vector)
인스타그램 @pilot._.duckey

출판신고 2023년 7월 12일 제2023-000224호
주소 서울시 강남구 삼성동 142-7
주문전화 010-5477-0530
ISBN 979-11-983947-1-2 (03800)